안녕, 첫눈 내린 날아!

글, 그림●소피 크니프케
Sophie Kniffke

아침에 안토닝이 일어났을 때 밖은 조용했습니다.
차가운 비가 주룩주룩 내리고 있었습니다.
비는, 일찍 일어난 고양이 로리스에게도
주룩주룩 내립니다.
숲과 나무와 소와 닭들에게 그리고 로리스와 가을에게
'잘 가'라고 말하는 듯합니다.

4

"여름이랑 가을은 어디로 숨어 버렸담?"
"겨울은 겨울대로 재미가 있는 법이지."
할머니께서 말씀하십니다. 수프로 몸이 따뜻해진
안토닝이 밖으로 나가려고 합니다.
"어, 비가 눈으로 되었잖아!"

들판과 마당은 한 번도 비질을 한 적이 없는
새하얀 융단을 깔아 놓은 듯합니다.
서둘러 빨래를 거둬 들이시는 할머니 어깨에도
살포시 눈이 내려 앉습니다.
지붕도 나무도 눈으로 치장을 합니다.

목장의 사일로도, 우유통도 새하얀 눈모자를 쓰고
겨울 단장을 합니다.
찌릉 찌릉…안토닝이 돌아왔습니다.
"난 싫어, 눈 같은 건. 자전거도 탈 수 없는 걸 뭐."
찌릉찌릉…눈은 펄 펄 펄.

"할머니, 다녀왔습니다. 로리스는 어디 있지요?"
"조금 전에는 밖에 있었는데, 아직 돌아오지 않았니?"
찬장 속, 침대 밑, 집 안 어느 곳에도
로리스는 없었습니다.

"이상한데, 아이, 추워.
추운 걸 싫어하는 로리스인데."
눈은 펄펄 아무 일도 없다는 듯 소복이 쌓여갑니다.
"아니, 이 발자국은!"

"눈은 참으로 친절하기도 하지,
로리스의 발자국을 그대로 남기다니.
로리스, 로리스, 어디까지 간 거니?"
여름에 안토닝이 수영한 바다도,
배를 띄웠던 호수도, 잠잠한 채 대답이 없습니다.
소록소록 내리는 눈을 살짝 삼키고 있을 뿐입니다.

"사냥꾼 아저씨, 제 고양이 못 보셨나요?"
"이상한 날이야. 눈과 함께 여기저기에서
고양이들이 많이 모여들었지.
여기서 우유를 마시고 잠시 쉬더니만
다시 달려가 버렸어."
"고맙습니다. 전 조금만 더 발자국을 따라가 볼게요."

18

눈은 펄 펄 펄, 발자국은 점 점 점.
"눈은 참 불편해. 어느 것이 로리스의 발자국인지
알 수가 없잖아."
그 때 신비로운 음악소리가 들려 왔습니다.

신비로운 음악소리에 빨려 들어가 한 번도
가 본 적이 없는 집에 들어 와 있는 게 아니겠어요!
달콤한 음악소리. 그것은 바이올린 소리였습니다.
"아니, 로리스! 아니, 저 많은 고양이들."
안토닝은 가만히 문을 두드렸습니다.

"해마다 첫눈 내리는 날에는 항상 바이올린을 켜지.
'안녕, 첫눈 내린 날아'라는 곡인데, 연주를 하면
밖에서 추위에 떨던 고양이들이 우리집으로
찾아 온단다. 그런데 로리스는 오늘이 처음이야.
먼 곳에서 온 모양이구나."

"제발 다시 한 번만 바이올린 연주를
들려 주시겠어요?"
몸도 마음도 따뜻해진 안토닝과 로리스.
펄펄 눈 내리는 길도, 돌아가는 길도
웬지 따뜻한 느낌입니다.
"먼 길이니 바래다 주마."

"또 오너라, 안토닝. 다음 번엔 바이올린 켜는 법이랑
목마 만드는 법을 가르쳐 주마."
"할머니가 말씀하신 대로야.
눈 내리는 겨울날은 여름이나 가을과는
또 다른 멋진 즐거움이 있구나."
눈은 조용히 소록소록 내립니다. 소리없이 쌓입니다.

WORLD PICTURE BOOK

안녕, 첫눈 내린 날아!

어린이 여러분께

아침에 일어나 밖을 보니 온통 흰색이었던 경험이 있으신지요. 밤사이에 무엇이고 하얗고 부드러운 것에 쌓여 버리고 말지요. 항상 듣던 소리들도 눈에 파묻히고 마는 거예요. 조용하지요.

'사각 사각 사각' 눈 위를 걸어 봅니다. 저의 발자국이 뒤를 따라 오죠. 언덕 위까지 계속되어 있는 저 발자국은 무얼까? 어디까지 계속되는 걸까? 저에게 손짓합니다. 올 첫눈 내리는 날에 맞이할 멋진 일을 생각하면 저는 벌써 가슴이 두근두근거립니다.

글, 그림 ● 소피 크니프케 (Sophie Kniffke)

■ 1955년 프랑스에서 태어나다.
■ 스트라스부르 장식미술학교를 마치다.
■ 1983년 볼로냐 국제견본대회에서 그래픽상을 받다.

World Picture Book ⓒ1985 Gakken Co., Ltd. Tokyo.
Korean edition published by Jung-ang Educational Foundation Ltd. by arrangement through Shin Won Literary Agency Co. Seoul, Korea.

■ 발행인／장평순　■ 편집장／노동훈
■ 편집／박두이, 김옥경, 이향숙, 박선주, 양회숙, 김수열, 강혜숙
■ 제작／이해덕, 문상화, 장승철
■ 발행처／중앙교육연구원(주)(서울시 종로구 관철동 258번지)
　　　　대표전화／735－9600, 등록번호／제2－178호
■ 인쇄처／갑우문화주식회사(서울특별시 영등포구 양평동 1가 119번지)
■ 제본／태성제책(주)(서울특별시 구로구 가리봉동 505－13)
■ 1판 1쇄 발행일／1988년 12월 30일, 1판 16쇄 발행일／1996년 10월 20일
■ ISBN 89－21－40224－1, ISBN 89－21－00003－8(세트)